P9-BJX-596

LA ALHAMBRA Y EL GENERALIFE

MARINO ANTEQUERA

LA ALHAMBRA

Y

EL GENERALIFE

MIGUEL SÁNCHEZ, EDITOR

GRANADA

© Miguel Sánchez, Editor - Marqués de Mondéjar, 44. Granada
Fotografías en color: Miguel Sánchez
Dibujos: Enrique Villar - Yebra
I.S.B.N.: 84-7169-012-8
Depósito legal: M. 25.058-1993
Impreso en GREFOL, S.A., POl. II - La Fuensanta - Móstoles (Madrid)
Printed in Spain - Impreso en España.

INTRODUCCION

E L Romanticismo, que hizo de la Alhambra una de las Mecas de las almas sensibles, la deformó al poblarla de una raza heroica, exaltada en todo: amor, celos, odios y nobleza, sólo posible en aquellas alucinantes imaginaciones que añadieron, a este mundo material que todos vemos y tocamos, otro soñado. Un zapatero de Murcia, soldado a sus horas, dio la primera materia a los fantaseadores románticos. Ginés Pérez de Hita, con sus «Guerras civiles de Granada», inspiró «Le dernier des Abencérages», de Chateaubriand, y la «Crónica de la Conquista de Granada», de Washington Irving. Sus adalides moros, refinados como caballeros andantes con adarga y cimitarra, se avenían a llenar páginas de aventuras maravillosas. Después vinieron los dibujantes del tipo de Doré, Lewis o, sobre todo, del escocés David Roberts, a deformar la realidad, aunque, en verdad, con más sutil encanto que los escritores. De este sentimentalismo romántico viene el concepto que, de los palacios árabes de Granada, traen los viajeros. Y aunque la realidad sea muy otra de lo imaginado, no han de sentirse defraudados en el cambio. Ha sido empeño de la crítica moderna poner las cosas en su punto, y arqueólogos e historiadores, al restablecer lo auténtico y destruir quimeras, han acrecido la belleza y magnitud del monumento.

La cima del cerro de la Asabica, que tal es el nombre árabe de la eminencia en que se alza la Alhambra, debió de estar fortificada de muy antiguo. Desde ella, en el siglo IX, se sujetaba la comarca a los emires cordobeses. Y cuando, más tarde, varios núcleos urbanos se encerraron dentro de unas mismas murallas, la alcazaba creció en importancia frente a la que en la eminencia frontera—el actual Albaicín—comprendía el palacio del jefe de los berberiscos, fundador de la dinastía de los beni-ziri, Zagüi ben Ziri, de la familia real de Túnez.

Mas la importancia de la Alhambra, el castillo rojo, como se le llamó siempre, por el matiz de la arcilla de que está construida—«AlQal'a al-Hamrá», que los cristianos, por corrupción, convirtieron en Alhambra—alcanzó gran importancia cuando, en 1238, Mohamed Benalahmar, vasallo de San Fernando y señor de Arjona, fundador de la dinastía nazarí, se hizo dueño de Granada, después de haber dominado Jaén, Baeza y Guadix. Este monarca trajo agua del río Darro a la cima del monte; transformó sequedad y aridez en jardines y palacios, futuro teatro de las grandezas, servidumbre y ruina de su dinastía durante dos siglos y medio, y convirtió el estrecho castillo en gran «alhisan» o alcazaba, para edificar a su amparo. Después, al conjuro del agua, vinieron lucidas mansiones perfumadas por rosas, jazmines y arrayanes. Sin sus talentos de mago creador, el nombre de la Alhambra no se recordaría sino por los arqueólogos. Granada conmemoró el recuerdo del rey Magnífico con una modesta lápida. Ya no existe la inscripción. La ingratitud es hiedra que crece en las ruinas.

En los tiempos de Mohamed Benalahmar, la cima de la Asabica estaba dividida en dos partes separadas por un barranco, que, rellenado por los cristianos, es hoy la plaza de los Aljibes. En la porción más occidental levantó la alcazaba sobre los restos de la que, de muy antiguo, existía. Al amparo de ella, en la parte oriental, edificó su palacio. La parte militar, por lo recio de su construcción, retiene un sabor arcaico más penetrante. Las torres de la Vela y del Homenaje datan del siglo XIII, y, más o menos modificadas, han llegado hasta nosotros. Lo que se conserva de lo civil es en su casi totalidad del siglo XIV, y sin los continuos cuidados y restauraciones de que ha sido objeto, hace cientos de años que no existiría por la fragilidad y pobreza de su obra.

6

LA ALHAMBRA

Subida a la Alhambra. Desde la ciudad, se sube a la Alhambra
por la cuesta de Gomérez, que, pese a
llevar el nombre de una tribu árabe, es posterior a la Reconquista. Dicha cuesta termina en la «Puerta de las Granadas»,
obra de un Renacimiento temprano que la erige en pieza singu-
larísima de la arquitectura española. Almohadillada como los pri-
mitivos palacios florentinos, se remata con escudo imperial,
angelotes y granadas (a las que debe el nombre), y es obra
del pintor y arquitecto Pedro Machuca. Esta puerta sustituyó
a otra árabe del lienzo de murallas que corría desde torres
Bermejas a la Alcazaba.

Al traspasar la puerta, se cambia lo urbano en «bosque»
poblado de penumbras, trinos y rumores de aguas, que embe-
llecen lo que en tiempos musulmanes fueron áridas laderas. Aquí,
como era tradición grecorromana en las puertas de las ciudades,
hubo un cementerio a uno y otro lado del camino que subía
a los alcázares.

Pilar de Carlos V. A poco de subir por el camino que comienza
junto a una cruz de mármol blanco, hallare-
mos, frente a un feo asiento, el «Pilar de Carlos V», también obra
de Machuca. Dicho pilar es de noble traza y se adorna con
mascarones coronados de hojas, espigas y frutos, símbolos de
los ríos que fertilizan Granada—Genil, Darro y Beiro—, escudos
de los Mendoza, la cruz de San Andrés, las columnas de Hércules y angelotes con delfines y medallones ya casi carcomidos,
que tuvieron escenas mitológicas alusivas al Toisón de Oro. Hay
también una cartela con dedicación latina al Emperador; coro-
nado todo con tímpano curvo con escudo. La parte escultórica

es de Nicolás de Corte. El pilar fue restaurado en el siglo XVII por Alonso de Mena.

Puerta de la Justicia.   Junto a la fuente, un baluarte semicircular, levantado en los últimos años de dominación musulmana para emplazar en él artillería, anuncia la «Puerta de la Justicia», que tiene fausto impropio de lo militar y de lo reservado de la arquitectura mogrebí. Esta bonita «Bib-Axarea» fue construida por Yúsuf I, con enorme arco de herradura que une los baluartes que flanquean la puerta, y tiene entallada una mano en la clave, talismán para los más, al modo de la supersticiosa higa castellana, y para otros, recuerdo de los cinco preceptos alcoránicos: ayuno, limosna, oración, viaje a la Meca y creencia en la unidad de Dios. Al fondo del «iwan» o portal hay una portadilla de mármol blanco, también con arco de herradura y con una llave en la dovela central, símbolo frecuente sobre las puertas de la época. Se corona con una inscripción, taraceada en piedras de colores, en la que se declara la fecha del monumento (749 de la hégira, 1348 de nuestra era) y el nombre del sultán que mandó construirlo. El espacio restante está enchapado de azulejos en relieve, de mérito poco común, que dejan en su centro lugar para una hornacina, en la que los Reyes Católicos—señal del fin de la superstición islámica, significada en la mano—dejaron una Virgen con el Niño, atribuida a un Roberto Alemán, hace poco sustituida por vulgar copia. La puerta no tiene rastrillo, pero las hojas, ferradas, son las primitivas. Esta entrada, como todas las musulmanas, es acodada, con el fin de estorbar la vista del patio, en lo doméstico, y para ayudar a la defensa, en lo castrense. Cerca de la salida hay un retablillo de fines del siglo XVI, en el que se decía misa para los vecinos y la guarnición de la Alhambra hasta tiempos modernos, y una lápida que recuerda la conquista cristiana de la ciudad y la toma de posesión de la alcaidía de la Alhambra por el conde de Tendilla. La fachada posterior es modesta, con arco de herradura con trasdós de precioso festón

Puerta de las Granadas

en ladrillo y albanegas con restos de azulejos, como los que hemos visto en la fachada anterior de esta puerta.

Puerta del Vino. En la amplia plaza de los Aljibes encontramos la «Puerta» llamada «del Vino», por el que, libre de impuestos, se vendía en ella a los vecinos de la Alhambra. Es una bonita construcción con dos fachadas de épocas distintas. La occidental, de tiempos de Yúsuf, tiene enjutas con labor tosca en piedra y una inscripción en yeso de tiempos de Mohamed V, y está rematada por un ático con balcón geminado. La fachada oriental es muy delicada, con lindas enjutas o albanegas en notabilísima cerámica a cuerda seca teñida, y lleva, encima del alfiz, el acostumbrado friso de dovelas y una ventanilla doble con tableros en yeso, de labor vegetal, a los lados. Se ve bien que tan frágil construcción no es militar, sino embocadura de una calle de la Medina o ciudad, que luego torcía en dirección Norte. Cuando se escribe este libro está en proyecto excavar dicha calle.

Plaza de los Aljibes. Ya hemos dicho que la actual «Plaza de los Aljibes» fue, en tiempos musulmanes, un barranco, rellenado por los cristianos para construir unos aljibes o cisternas de gran tamaño. La plaza, desde hace unos años escalonada, separa ahora, como antes el barranco, los palacios moros de la alcazaba que los defendía. Pero la Alhambra no fue sólo residencia real y castillo, sino una Medina, una ciudad pequeñita, perfectamente fortificada, que vivía a la sombra de la corte y de la guarnición militar. Todo el recinto se conserva con sus puertas, más o menos arruinadas, y sus casi treinta torres. De los palacios y edificios religiosos, frágiles y renovados de continuo por constructores noveleros, poco ha llegado a nuestros días. En cambio, las recias construcciones castrenses se mantienen bastante completas. Por ello, el estudio de la Alhambra pide, si seguimos un orden cronológico, que nos ocupemos primero de lo militar, aunque el turista ansíe contemplar, antes que nada, lo más lucido y pintoresco.

La Alcazaba. Al traspasar la Puerta de la Justicia penetramos en la Medina. De la plaza de los Aljibes pasaremos a la Alcazaba, heredera de los viejos castillos moros. Su torre más importante, la «de la Vela», es una enorme masa, a pesar de que perdió parte de su altura en un terremoto del siglo XVI. Para los granadinos tiene esta torre tanto sabor simbólico como la Giralda para las sevillanos. Desde ella se goza del más completo panorama de la ciudad y sus alrededores; en su terraza se alzó por primera vez la cruz de la Reconquista, y su célebre campana regula los riegos de la vega y avisa a la ciudad peligros y revueltas. Desde la terraza de la torre, a la que se asciende por una escalera que no es la primitiva, se divisa: al Norte, el Albaicín, uno de los trozos urbanos españoles de más carácter hasta la llegada de nuestro siglo. De entonces acá ha decrecido, por días, su belleza, pues poco a poco ha visto arruinados sus blasonados palacios (como el de los Toribios), demolidas sus casitas árabes y moriscas (como la de la calle de Oidores), ensanchados sus callejones para dar cabida a los automóviles, y convertidos sus cármenes en eriales, pues no se ha conservado la propiedad de agua del barrio. En él se han edificado «chalets» y casas feísimas, sin que los ayuntamientos que se han sucedido hayan tratado de evitarlo. Si a todo esto se añaden los incendios de sus más bellas iglesias, a manos de la Revolución; el peligro de hundimiento de otras, como San Bartolomé y San Miguel el Bajo, y el haberse secado sus viejos cipreses, que tanto color dan al paisaje granadino, comprenderemos que el barrio, cuyo nombre era famoso en el mundo, no sea ya ni sombra de lo que fue. Pero, no obstante, conserva gentilísimas torres, como las de Santa Isabel o San Bartolomé; curiosos alminares, como los de San José o San Juan de los Reyes; iglesitas en las que el tiempo parece haberse dormido, como la misma de Santa Isabel la Real; placitas llenas de sabor, como la de Albaida, y callejones encantadores, como el de San Luis.

Hacia el Este, bajo las murallas de la Alcazaba del Albaicín,

Inexplicablemente abandonadas a su ruina, se ven las cuevas de los gitanos que horadan entre pitas y chumberas, las vertientes de los cerros que siguen al de San Miguel. Más atrás se divisa el Sacro Monte, con recuerdos cristianos casi tan antiguos como el mismo Cristianismo. Hacia la derecha, el bosque de la Alhambra; y arriba, las blancas crestas de Sierra Nevada. Al Sur está el pequeño castillo de Torres Bermejas (nombre que le viene del color de la argamasa ferruginosa de que está construido), que defendió el arrabal de los judíos («Garnata Aleyhud»). A Occidente contemplamos la parte llana de la ciudad, dominada por la enorme masa de la Catedral; más al fondo, la clásica cúpula de San Justo, el cimborio de San Jerónimo y las feas arquitecturas que muerden la gracia, desde aquí, aérea y sutil de la vega. Limita la vega, por esta parte, Sierra Elvira, asiento de la antiquísima y desaparecida ciudad que le legó su nombre en herencia.

La Alhambra no sería lo que es sin los maravillosos paisajes que la rodean y con los cuales se complementa. En ella, cada mirador, cada ventana, se abre a una Naturaleza sonriente y gentil y, al mismo tiempo, tan variada como sólo puede permitirlo un clima tropical a pocos kilómetros al Sur, y boreal en la tan cercana Sierra Nevada.

Desde la torre de la Vela se domina por completo la Alcazaba de la Alhambra. Tiene esta Alcazaba forma de trapecio, cuya base la forma la cortina de murallas en que se alzan las torres «del Homenaje», «Quebrada» y «del Adarguero». En sus lados hay otras torres más pequeñas, entre las que descuella: al Norte, la «de las Armas», en la parte baja de la cual se abre uno de los más importantes accesos a la Alhambra. La «puerta de las Armas», que no tiene ya azulejos en sus albanegas, conserva en sus jambas ranuras para el rastrillo, y, en su interior, una notable colección de bóvedas. La puerta de comunicación con los palacios, defendida por una torre llamada, como la puerta, «de la Tahona», se ha rehecho modernamente dentro del baluarte semicircular del siglo XVI, llamado «cubo de la Alhambra». El centro

12

Torre de la Vela

de la Alcazaba es un llano con arranques de muros que definen un diminuto barrio de menestrales. Primero vemos un baño muy completo, un aljibe, en el que, hace muchos años, estuvo perdido un extranjero; después, casitas artesanas con el taller de un armero y un horno de pan, y, al final, mazmorras para los cristianos cautivos.

LA CASA REAL VIEJA

Con este nombre, en trance de perderse, se conoció desde antiguo el conjunto de los palacios musulmanes de la Alhambra, únicos conservados en el mundo de este tipo y de esta época. Nada hay más frágil que estas construcciones. Las de Mesopotamia, también de barro, tenían la grandeza de su mole; sus ruinas pulverizadas son colinas en el desierto; la Alhambra hubiese dejado tras de ella poco más de un montón de cascajo. En estos palacios, la arquitectura casi se reduce a un tipo de columna original y a una colección de bóvedas de pobres materiales. Pero tan mísera construcción «de palitroques», como la definió el eminente arabista Prieto Vives, se cubre con fantástico ornato en cerámica y yeso tallado.

Se niega a esta arquitectura el carácter escenográfico que alguien le halló y del que nosotros hemos hablado en otra parte. Se aduce para ello que las perspectivas actuales de los palacios nazaríes estuvieron, en tiempos musulmanes, limitadas por puertas y tapices, y la luz restringida por postigos, vidrieras y celosías. Por nuestra parte creemos que la amplitud no es condición precisa de la escenografía: la luz escasa fue recurso para simular distancias en los viejos templos egipcios. Lo que sí es imprescindible es ponerse en estado de ánimo propicio para visitar estos lugares. Hacerlo con mentalidad occidental y buscar en ellos cualidades occidentales, equivale a no comprenderlos. Un estético japonés, Tsuneyoshi Tsudzumi, habla de la indelimitación del arte de su país. En el islamismo se funden, no ya vida y arte, como en el del Japón, sino las cavilaciones religiosas, políticas, históricas y hasta las domésticas. El europeo, que halla grandeza hasta en los más menudos objetos clásicos (un camafeo, una moneda) y que admira la morbidez, el ritmo y la amplitud de concepto de un capitel griego, ante lo árabe tiene que cambiar el instrumento de su admiración. Ha de olvidarse del tiempo para descifrar la trama de una labor de lazo y ver cómo aquel capullo de ataurique se repite seis octógonos más arriba, y tiene que absorberse en la meditación de esta «sura» coránica, y recordar la victoria de un rey, y hundirse en la observación de la hiperbólica descripción de una fuente o de una cúpula, en donde entran en fantástica danza los océanos, las estrellas, los cielos y las huríes. Por eso, la lógica del Partenón puede gozarse en una mirada, pero el encanto de la Alhambra sólo se disfruta con tiempo y calma. La visita apresurada produce asombro, que es una forma inferior del goce estético.

Hemos dicho que la Alhambra se mantiene en pie por puro milagro. Aparte de lo deleznable de su construcción, cosa general en lo islámico de Occidente, debemos tener en cuenta que es un monumento provisional. En este mismo emplazamiento se levantaron edificios de los que apenas si quedan vestigios. Los que se conservan es porque, después de la batalla del Salado, golpe de gracia al reino granadino, éste se mantuvo con cierta dignidad hasta el alborear del siglo XV, en que lo remataron las desdichas políticas y guerreras del ocaso de la Granada musulmana. De no ocurrir esto, el Zaguer, o Ziriza, o el Zagal, o cualquier otro monarca, hubiese levantado nuevas Alhambras sobre los restos de la que conocemos, y éstas tendrían menos interés por haberse construido en tiempos de tremenda decadencia artística. Así, los mayores peligros de estos edificios no les amenazaron de una neciamente pretendida incomprensión cristiana, sino del espíritu de novelería de sus constructores, al fin, últimos herederos de quienes tuvieron vivienda tan provisional como las tiendas del desierto.

Por fuera, los palacios nazaríes son un grupo de casuchas revueltas con fortificaciones. Al conjunto sólo lo prestigia esa mezcla de pintoresco y desordenado que constituye uno de los

Imp.-Pap. ROSILLO'S.-Fábrica Vieja. 13- Granada

Real Capilla de Granada

F.C.

Billete personal para visitar la Cripta y Museo, de la Capilla de los Reyes Católicos.

(Sin derecho a Guía)

Vale 250 Pts.

serie B

Normas para la visita

- No portar mochilas ni bolsas grandes.
- No fotografiar con trípode ni flash.
- No tocar las pinturas y objetos de arte.
- No tocar ni apoyarse en las vitrinas.

encantos de estos monumentos árabes. Cerca de ellos, el turista apenas puede creer que palacios de tan legendaria belleza se oculten tras apariencias tan humildes.

Desde la Reconquista ha variado mucho el acceso a estos palacios. Antes, se graduaba mejor su admiración. La entrada actual es poco adecuada, y se trata de restaurar la antigua. La reconstrucción de la Alcazaba de Málaga ha quitado escrúpulos a los granadinos para rehacer lo desaparecido. Choca al visitante no encontrar a la entrada cuerpo de guardia ni formalidad alguna de las que imaginara previas a la mansión de un rey de ascendencia oriental y no muy seguro en su trono. Al norte de la Plaza de los Aljibes hay unos patios, limitados por el Sur con el pretil de la plaza, y por el Norte por un lienzo de murallas, en el que se alzan la «torre de Mohamed», o de las Gallinas, y una «galería» de nueve arcos, vestíbulo de una torre palaciega, llamada de Machuca porque la vivió el notable pintor y glorioso arquitecto de tal apellido. En los patios veremos una escalerilla, un estanquito, arranque de muros y restos de una mezquita y de una calle. Precisamente estos restos y patios fueron un día los obstáculos oficiales—porterías y cuerpos de guardia—que había de sortear el visitante para entrar en los palacios. Antes de que este rincón apareciese como está, desoladamente arqueológico, estuvo ocupado por un jardín romántico, fruto de un criterio paisajista contrario al actual, cientifista.

Mexuar. Por una escalerilla desaparecida se penetraba, desde dichos patios, en el primero de los palacios: el «Mexuar», destinado a la vida burocrática y judicial del rey. También se reunía aquí el Consejo Real. Para que un pobre diablo expusiera sus quejas sobre las extralimitaciones de los funcionarios, bastaba esta primera dependencia. Pero para asombrar con rumbo y magnificencia a los emisarios de otros monarcas, se precisaba el segundo palacio: el «Serrallo», donde se ejercía la

< *La Alhambra y Sierra Nevada desde el Albaicín*

diplomacia; el más firme sostén del reino granadino, amigo o enemigo por turno de los moros del norte de Africa o de los cristianos. El tercer palacio, el «Harem», encerraba la vida particular del rey. Esta triple división existía ya en los viejos palacios mesopotámicos, y en estos de la Alhambra puede estudiarse con la mayor exactitud.

De los tres palacios, el Mexuar es el que ha llegado hasta nosotros más incompleto. Se entra en él por un patinillo.

Sala del Mexuar.   La pieza mayor del Mexuar es una sala que fue capilla desde el siglo XVIII hasta hace pocos años. Formaban el altar una chimenea italiana y una tabla de la Epifanía. Centran la sala cuatro columnas que, en tiempos musulmanes, sostuvieron una linterna, la cual fue sustituida por un techo plano de maderas labradas. También se abrieron las ventanas que hoy alumbran la sala, se renovó la decoración cerámica, con obra sevillana que no desmerece en nada junto a lo moro, y el ornato en estuco.

Junto a la sala hay un reducido «oratorio doméstico». La hornacina del testero oriental da la «alquibla» u orientación hacia la Meca, adonde los creyentes habían de dirigir sus plegarias. Esta pieza, como se advierte, tiene sus yeserías rehechas, pues fue destruida, como gran parte del Mexuar, por la explosión de un molino de pólvora, en la cercana parroquia de San Pedro, en 1590. Cada palacio tiene por núcleo un patio. Al del Mexuar lo centra una fuente moderna, y en dos de sus lados hay fachadas ricas y muy diferentes. La del lado Norte sirve de pórtico a una pieza muy restaurada, que lleva por nombre «Sala que da al bosque», y «Cuarto Dorado», y se forma por una galería de tres huecos, apeados por columnas con capiteles almohades, poco corrientes en lo granadino y de origen persa. El pórtico estuvo cubierto hasta hace poco por un arco posterior a la Reconquista, recientemente demolido.

La Alhambra iluminada por la noche >

19

La torre de Comares desde el Peinador

Serrallo. La fachada del lado opuesto es de lo más selecto de la Alhambra, acaso por serlo del palacio más fastuoso e importante: el «Serrallo». A su lujo contribuyen la cerámica, la talla en estuco y la carpintería. Para dar mayor lugar al ornato, predominan en ella los macizos sobre los vanos. Esta decoración, finísima y en extremo prolija, puede servirnos para notar las características generales de la decoración musulmana, cuya comprensión es muy conveniente para gozar cumplidamente de este arte.

En lo occidental, el adorno ennoblece una estructura o una función orgánica. Los capiteles del Partenón, se ensanchan, en deliciosa curva, para recibir al arquitrabe, de modo más adecuado. Esto es, lo natural hecho arte. La belleza de unos ojos o el encanto sinuoso de unos labios femeninos son decoro de unas aberturas necesarias. En Oriente se adorna porque sí; por ostentación, o, como aquí, para ocultar la miseria de unos muros de barro. Es el tapiz, en tiras y fajas, que cubre la pared desnuda. Esta fachada tiene paños encantadores, como el que se alberga entre los huecos de abajo, y tiras de gran belleza, como la que separa los pisos. Toda esta decoración se reduce a tres elementos: uno, el «ataurique», de origen vegetal, pero de especie incognoscible por demasiado estilizada; otro, el «lazo», formado por combinaciones de cintas rígidas que se anudan y se combinan con ingenio; y, por último, letreros religiosos, conmemorativos o poéticos, escritos unas veces con letras rectilíneas confundibles con el lazo—escritura «cúfica»—, y otras, con trazos sinuosos y redondos—caracteres «nesjíes»—. Todos estos elementos se repiten incansablemente en alfombras y tejidos, en carpintería y orfebrería, en construcción y cerámica; y tanto en Andalucía como en Persia, en Marruecos como en Siria, en la India como en Egipto. El fastidio que produce el tropezar en la radio con una emisora musulmana; con su insoportable melopea prolongada, es hermano del que experimenta el

Peinador de la Reina y torre de Comares >

que contempla la repetición machacona de unos mismos adornos. Esto, que señala una inferioridad en el arte oriental, es producto de circunstancias; pues ni la música ni la decoración islámica se hicieron para gozarlas en la fugaz incidencia de un viaje ni en la apresurada búsqueda de unas noticias de radio, sino muellemente recostado sobre unos cojines, aspirando por el narguile el aroma del tabaco y del agua perfumada, adormecido por el canturreo de una fuente y sin esperar de las horas, sino que se deslicen sin prisa. Entonces y sólo entonces podrá recorrer la mirada el embrollo de aquel lazo, y descifrar el hiperbólico elogio de un sultán, y comprender la armonía de una música árabe. Mas, por distraído y veloz que sea nuestro paso ante esta fachada, no lo será tanto que no nos detengamos en la contemplación de su estupendo alero, una de las obras maestras de la carpintería musulmana de todos los tiempos.

Patio de los Arrayanes. Traspasada la fachada del Serrallo, nos encontramos en el patio de este palacio, que puede considerarse como el ejemplar más típico de patio granadino. Son características de éste, dos lados estrechos y ricos; los otros dos, largos y sencillos, y una pieza de agua en el centro, que en este patio es un inmenso estanque. En otros lugares, esta pieza de agua está formada por una acequia o una fuente; todo, dentro de la tradición clásica del peristilo helenístico y del atrio romano con su «impluvium» en el centro. No en vano, Gaudí, el más grande de los arquitectos modernos, calificó al arte musulmán como un arte de rapiña. Pero, aun en estos hurtos, se marcan bien las diferencias. A este patio se le llama de la Alberca o del Estanque, y también de los Arrayanes o de los Mirtos, por los macizos de esta planta que van a uno y otro lado de la pieza. En ella, los arcos son de medio punto, y la estructura, como en todo lo granadino, es adintelada; puesto que las columnas sostienen pilastras, y éstas, dinteles. Los ar-

Pilar de Carlos V y puerta de la Justicia >

cos, con enjutas de yeso calado, son de puro adorno; hasta el punto que pudieran destruirse, sin menoscabar la estabilidad del patio. Su fórmula constructiva es, en síntesis, la misma de un monumento griego: elementos vivos, verticales; elementos muertos, horizontales. Deshechas por la luz las policromías del estuco, y rayado el blanco de los mármoles por el verde oscuro de las masas de mirto, todo contribuye al sosiego en este trozo arquitectónico. El testero Sur está adosado al Palacio de Carlos V. Las puertas centrales de la galería y del piso daban a partes reducidas y sin importancia de los alcázares, por lo que, contra lo que se ha propagado, poco de ello pudo destruirse para construir el Palacio de Carlos V. El lado Norte tiene seis huecos, más alto el central con objeto de romper monotonías y centrar grandezas, pues sirve de vestíbulo a la gran sala de recepción. Además de tener mayor altura, el hueco central se apea por dos capiteles lujosos y raros. Es muy notable la techumbre de madera de esta galería, de la que se perdió más de la mitad cuando el incendio de la sala de la Barca en 1890. Son también muy notables los mal llamados babucheros que hay en las jambas del hueco, que, como todos los de las puertas granadinas, servían para encerrar candiles o vasijas con agua. La generalidad de estos babucheros son de yeso, pero éstos, por lo magnífico del lugar, son de alabastro con fondo de cerámica. Unas puertas sostenidas por gorroncillos y quicialeras, externas, como es corriente en lo musulmán, de perfecta imitación, sustituyeron, como las de la galería frontera, a las antiguas, y constituyen una verdadera obra maestra de la actual artesanía granadina. La parte baja del muro del fondo del pórtico tiene una almatraya o arrimadero que sería de alicatado, o mosaico de cerámica, y que, a finales del siglo XVI, se sustituyó por azulejos granadinos. Encima, entre medallones, corre una inscripción compuesta por el poeta áulico Ibn-Zamrak en elogio de Mohamed V, en tiempo del cual se edificó todo esto. Visto el conjunto de este

< *Puerta del Vino*

pórtico desde el lado frontero, el total resulta de cierta majestad, con la gran torre que se alza tras él, a pesar de las dos torrecillas laterales (de finales del siglo pasado) que aminoran el mérlto del conjunto. La galería aparece grácil y primorosa en comparación con la severidad de la torre; y el papel de ella resulta análogo, aunque con distintas proporciones, al de la «logetta» de Sansovino que hay al pie del campanil de San Marcos de Venecia, construcción, esta última, dos siglos más moderna.

Sala de la Barca. La Sala de la Barca sirve de intermedio entre el pórtico y el salón del trono. Debió de ser lugar de espera y asiento de chambelanes, dignatarios y guardia de confianza del rey. Su decoración muestra haber sido exquisita, y conserva rastros de su pintura y del techo. De este último viene el nombre de la estancia, pues tiene forma de casco de navío invertido. Esta sala sería de gran riqueza, a colegir por las fotografías que quedan anteriores al incendio ya mencionado. Muy recientemente se ha rehecho la magnífica techumbre de esta sala y se le devolvieron sus desaparecidas puertas, trabajos denotadores de que las viejas artesanías moras no se han perdido en Granada. Su carácter de antesala lo acentúan las «alhanías» o alcobas de sus extremos.

Salón de Embajadores. El Salón de Comares o de Embajadores fue el centro de la vida política y negociadora de las postrimerías de la Granada musulmana; por ser la pieza más importante del Serrallo y el lugar del trono. Estas cuatro paredes encerraron la decadencia, salpicada de sangre, y la impotencia diplomática, aguda un día, pero que perdió su sagacidad al convertirse en vulgar intriga de la España islámica. Fue marco excesivo para aquel desmoronarse, sin grandeza, de un reino; y vacía, desmantelada—como hoy aparece—, es símbolo

Patio del Mexuar >

perfecto de lo que albergó en días lejanos. A los reyes ziritas les bastó con un palacio perdido entre las viviendas de sus vasallos y amparado por unas murallas comunes al uno y a las otras. Los nazaríes tuvieron cuidado de comenzar sus construcciones por una alcazaba, para, después, embutir el solio real en el torreón granadino más desaforado. En sus tiempos de gloria, estas paredes estuvieron cubiertas de yeserías jugosas de oro y matices; pero ahora están blancas como osamentas calcinadas del desierto. Antes, por el contrario, sus huecos de entrada estaban revestidos con pesadas cortinas, y los de iluminación, con vidrios de colores. Su riquísima techumbre no aparecía tan oscura como ahora, pues conservaba su policromía y le daban luz las ventanas de su base, las cuales han tenido que ser macizadas para consolidar la torre. Estos muros podrían contarnos las discordias del Zagal, Muley Hacem y Boabdil; las fugaces venturas de Zahara y Loja, y los desastres de Alhama, Lucena, Lopera, Ronda y tantos otros que fueron jalones en la pérdida del reino.

Tal como ha llegado a nosotros este gran Salón de Embajadores, nos permite colegir su pasado esplendor, pues en lo arquitectónico se conserva intacto. Es completamente cuadrado y tiene, en cada uno de sus testeros, tres camaritas con arrimaderos de alicatado muy notable y lindos techos de maderas ensambladas con todo primor. Para hacer estos aposentillos, se aprovechó el extraordinario grosor de los muros de la torre. Los balcones tuvieron ajimeces. Por cierto que al ajimez no es, como se cree, una ventanita doble, sino un mirador volado de madera y cristales de colores, como los que aún se ven en gran cantidad en las ciudades orientales. A tales ajimeces se debe el nombre de la sala y de la torre, según los que hacen derivar Comares de «qamariyya», nombre de estas vidrieras coloreadas. Con estos huecos cubiertos por cortinas, la estancia sólo se alumbraba por la luz que, a través de las celosías de

< *Patio de los Arrayanes*

yeso de las ventanitas de lo alto, esparcía por este salón una claridad misteriosa, muy adecuada para la esotérica majestad del solio real entre los musulmanes. Ahora, la luz penetra por doquier, cruda y despiadada, y vientos de todos los cuadrantes silban en los días invernales en la soledad de esta pieza y bruñen las aristas de las yeserías. Los arrimaderos de alicatado son de ingeniosas trazas, sobrio color y técnica impecable. Sobre ellos se agrupa la ornamentación en estuco, repartida en franjas con inscripciones cúficas, y entre paños con finísimo ataurique, frisos con lazo, labor vegetal y medallones cuajados de epigrafía. Más arriba vemos estrellas de lazo, inscripciones cursivas y labor de arcos entrecruzados (de ascendencia almohade), en los ángulos del cuerpo de luces. En lo alto se muestra la espléndida techumbre, sobre arrocabe de mocárabes, y cuajada de labor de lazo con increíble profusión de perfiles. Hoy aparece bastante oscurecida; pero no fue así antiguamente, pues, como hemos dicho, estaba mejor iluminada y era de más vivos colores. En la camarita que hay frente a la puerta de entrada estuvo el trono. La primera del muro occidental se habilitó, en tiempos modernos, para dar paso a los baños y a una serie de habitaciones cristianas de los alcázares.

Peinador de la Reina.   Entre el Salón de Embajadores y el Harem hay una serie de habitaciones y dependencias del siglo XVI. La más importante es la llamada «Peinador de la Reina», que lleva este nombre porque se hizo para la emperatriz Isabel, esposa de Carlos V. Para llegar a esta pieza se pasa por un corredor con columnitas rematadas por capiteles de la mayor variedad, desde algunos de ascendencia bizantina hasta los de tipo granadino más perfecto. Lo más valioso que guarda el Peinador es una serie de pinturas al fresco con las que se decoran sus paredes. Estas pinturas constituyen la más pura decoración renaciente e italiana que pudiera ima-

< *Patio de los Arrayanes. Galería Norte*

34

ginarse. Proceden en línea recta de las logias romanas del patio de San Dámaso, en el Vaticano, pues fueron ejecutadas por Julio de Aquiles y Alejandro Mayner; el primero, italiano; flamenco italianizado, el segundo; ambos, discípulos de Rafael, o, por lo menos, de Juan de Udine. Eran momentos de intenso fervor renacentista en Andalucía; fervor que ha dejado muestras de sorprendente belleza en Ubeda, Baeza y Sevilla, y a cuyo impulso se labraba aquí, junto a la casa real vieja, uno de los más bellos palacios de su tiempo en el mundo: el de Carlos V. En estas habitaciones la cosa quedó en sus pinturas al fresco. Y así como los cuerpos de campanas vinieron como a bautizar los alminares, esta joya de la decoración renaciente coronó de belleza indiscutible la torre mora de Abul Hachach.

En la primera de las estancias, varios cuadros relatan la expedición del Emperador a Túnez. Primero aparece la salida de la escuadra de Barcelona, en la que, por sus banderas amarillas, se distingue la galera imperial; después, panoramas de la costa tunecina, con el fuerte de la Goleta, las ruinas de Cartago, desembarcos, combates, retirada de los imperiales y regreso del Emperador a Sicilia. Orlas y frisos enmarcan esta decoración, en la que todavía se percibe su buena composición, agradable dibujo y armonioso colorido, a pesar de las múltiples restauraciones que ha sufrido desde mediados del siglo XVII hasta 1962, fecha de la última, y de los arañazos e inscripciones con que vandálicos visitantes dañaron estas pinturas. La diminuta estancia central fue privada de su pavimento y da vista al interior de la torre moruna. En esta estancia se continúan las pinturas renacentistas con bellos cuadritos, con las fábulas de Faetón por tema, y exquisitos ornatos con fantásticas vegetaciones y zoologías. Completan el encanto de este lugar sus maravillosas vistas hacia la Alhambra, el Albaicín, el hondo barranco de la cuesta de los Chinos y el Generalife.

Patio de los Leones >

Sala de Abencerrajes

Habitaciones del Emperador.   El resto de las habitaciones del Emperador que se visitan son de menor importancia que la descrita anteriormente, aunque conservan magníficas y nobles techumbres y chimeneas bien delineadas. Al lado de la entrada de una de ellas, una lápida nos recuerda que en estas solitarias habitaciones vivió y escribió sus célebres cuentos Washington Irving. Su libro, que tanto ha contribuido a la popularidad de estos monumentos, nos despierta a los nativos, más aún que a los extranjeros, gratas evocaciones. Bien sabemos que las historias del príncipe Hamed, o del astrólogo árabe, o de las tres hermosas princesas, o de Alahmar, o de Yúsuf, son cuentos árabes, por no llamarlos chinos; pero lo del palacio guardado por la tía Antonio, como único conservador y conserje, y los frailes y majos del paseo de los Tristes, y la dichosa e incurable haraganería de un género de granadinos castizos (desaparecido por la dureza de los tiempos); todo esto —tan pintoresco—nos llena de nostalgia. Digno como un hidalgo y pobre como un mendigo era Mateo Jiménez, el criado de Washington Irving; y aquella Alhambra, tan familiar, íntima y casera, albergaba a sus anchas a unos particulares de ordinario muy humildes. En el monumento no había vigilantes, ni empleados, ni billetes de entrada, ni horas de visita, ni ninguna de esas incidencias prosaicas que ahora velan por la integridad de palacios y torres.

Harem.   Nos queda el más íntimo, misterioso y novelesco de los palacios: el Harem. ¡Oh manes de Zorrilla, de Gautier, de Byron y de los mil y mil descubridores de harenes sólo entrevistos en sueños! ¡Cuántas venganzas y pasiones, cuántos crímenes y odios para buscar contrastes con el amor, las danzas lascivas, los voluptuosos pasatiempos y el lujo refinadísimo que se atribuyen a estos secretos departamentos! Aunque

Un balcón del Salón de Embajadores >

el casi único ingrediente de tales descripciones es la fantasía, son pocos los turistas que no esperan hallar en las vacías salas la huella leve de odaliscas, esclavas y favoritas. La parte oscura del contraste parece más cierta. La Edad Media, tan espiritual y admirable, se mancha de sangre a veces, y mucho más en la parte islámica. Es curioso que el rey cristiano que mereció el sobrenombre de «el Cruel» firmara en aljamiado: en árabe. Y es cierto, que las justicias cumplidas, las venganzas macabras y los celos enredados en crímenes, hallaron propicio acomodo en estas primorosas y delicadas salas. Fácilmente nos imaginamos a millares de mujeres albergadas en los harenes de los palacios de Korsabad, o en los de los primeros califas omeyas, o en las inmensas «hiras» del tiempo de la de Balkuwara. Pero aquí, en este frágil y pequeñín palacio, descontadas las habitaciones para la vida de varones y familiares, ¿qué queda para el gineceo? Las numerosas mujeres del harem, si las hubo, andarían diseminadas por las casitas y torres que tanto abundaron en Medina Alhambra.

Sala de los Ajimeces. Una vez pasadas las habitaciones del Emperador, la primera pieza propia del harem es la sala mal llamada de los Ajimeces, pues las ventanitas que en ella se abren al jardín son las que dan nombre a la sala; nombre que es impropio, pues, como ya hemos dicho, corresponde a cierres o miradores de madera y cristales. En su decoración encontramos mucha finura y exquisitez, como corresponde al carácter eminentemente femenino de este grupo de aposentos, que constituían la parte reservada a la sultana, y que por su mejor acomodo han sido los más habitados del palacio después de la Reconquista. Esta sala, con su techo de mocárabes, fue muy renovada a mediados del siglo XVI.

Patio de los Leones. Detalle >

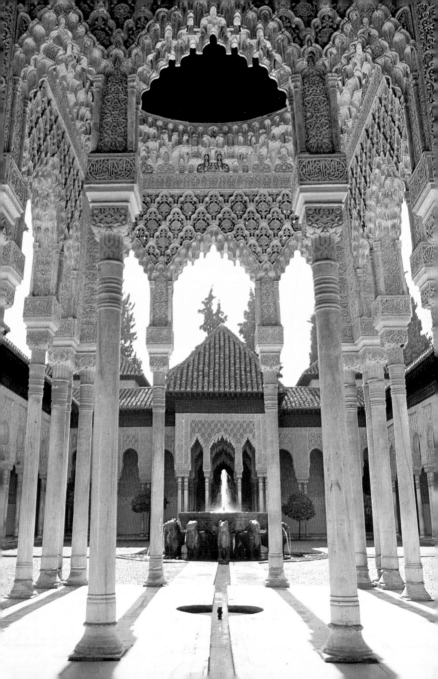

Mirador de Lindaraja. En el centro de la Sala de los Ajimeces se abre el Mirador de Lindaraja, precioso y delicado estuche para la sultana, a la que, siguiendo la corriente romántica, suponemos espiritual y bella. Desde aquí, sentada sobre cojines en el suelo (como era costumbre entre los árabes, y para lo que se hacían ventanas muy bajas, como éstas), observaba el amplio y sugestivo panorama que desde este sitio se veía, antes que se edificaran las habitaciones del Emperador. A este oficio de belvedere parece aludir su nombre—«l-ain-dar-aixa»: ojos de la sultana—. Verdaderamente, este trozo tiene más contacto con el arte de la orfebrería y de los marfiles que con el arquitectónico. Sus paredes parecen cinceladas y esmaltadas como una joya de precio. Así, hay trozos que están tomados de la eboraria califal del siglo X. Completan esta lindísima estancia, los arcos de mocárabes de las frentes, las depuradas cerámicas de pavimentos, arrimaderos y jambas (en especial, las prodigiosas de las del arco de entrada), los versos de Ibn-Zamrak (que forman gran parte de su epigrafía), y la cubierta de cristales de colores sostenidos por peinazos de madera.

Sala de las Dos Hermanas. Al lado opuesto del mirador está la Sala de las Dos Hermanas, departamento en el que las técnicas de la cerámica y de la yesería, llegan a su apogeo; además es de lo mejor conservado y más completo de la Casa Real vieja. Su nombre le viene de las dos enormes losas que se ven en el pavimento, a uno y otro lado de la fuentecita central. La admiración llega al estupor al contemplar la prodigiosa y bella cúpula de mocárabes que cubre esta sala. Es de efecto inolvidable, debido a su gracia singular, por la acertada combinación de volúmenes fuertemente iluminados, lo que le da apariencia ingrávida y aérea, como sostenida en el espacio. Ya no alcanzará mayores triunfos esta «arquitectura de

< *Patio de los Leones*

palitroques», como la definió Prieto Vives. La cúpula se apoya en el octógono de su base, sobre cuatro trompas, también de mocárabes, con objeto de pasar al cuadro del ámbito cubierto. Las yeserías de las albanegas, de las trompas y de los arcos que las enlazan, llevan palmetas de inspiración clásica. Los versos de Ibn-Zamrak, compuestos en esta ocasión en honor de un hijo de Mohamed V, se reparten en los medallones. El tallado del yeso recuerda el trabajo en filigrana. Los alicatados de los arrimaderos son un prodigio de justeza, y algunos de sus esmaltes ofrecen matices inéditos, sobre todo, el violeta. Todo es perfecto e indica que la decadencia de la decoración árabe es inminente. En la ventana que vemos sobre la puerta de esta sala que comunica con la de los Ajimeces se conservó hasta hace poco la única celosía completa de la Alhambra.

Patio de los Leones.   Lo más popular y reproducido de toda Granada es el Patio de los Leones. Este es para nuestra ciudad lo que la plaza de San Marcos para Venecia, el compás de Nuestra Señora para la capital de Francia, la plaza de la Señoría para Florencia, o la de San Pedro para Roma. Sus arcadas, sus columnas y sus yeserías, han servido de modelo para pabellones de exposición, galerías de fotógrafos, salas de espectáculos y cervecerías. Grabados y fotografías lo han reproducido hasta la saciedad. Sin embargo, cuando nos encontramos en él se nos borran todas las imágenes anteriores. Existe algo en la obra de arte, que escapa a todos los vaciados y reproducciones posibles: ese cosquilleo de la sensibilidad, que es como nuevo sentido por el que percibimos la presencia de lo genial; y tal es nuestra sensación ante el patio granadino. A juzgar por las reproducciones lo creemos enorme, y es pequeño. ¡Qué magnífico argumento es para los que niegan el carácter escenográfico de la Alhambra! ¿Cómo dejar de percibir la suma de rompimientos, bastidores y bambalinas de esta

Patio de los Leones. Detalle >

tramoya tan única y que, como los decorados, parece necesitar refuerzos de cañamazo para que no se estropee? El Patio de los Leones se aparta del arquetipo granadino que ya conocemos. El que ahora nos ocupa tiene, como los claustros monacales, cenadores y dos pabellones en los extremos, ambos con fuentecita en medio. Se ha atribuido tal influencia cristiana a las relaciones existentes entre Mohamed V, constructor del patio, y don Pedro el Cruel, asesino de Mohamed VI, el Bermejo. Del mismo tipo y de la misma época de éste, era el patio del Maristán u hospital de locos, derribado en el Albaicín en 1843.

El aspecto tradicional del patio ha cambiado de poco tiempo a esta parte. El pabellón del lado Este tuvo una cubierta de almenillas y media naranja de escamas vidriadas, creación del arquitecto Contreras en el siglo pasado. Ahora se ha sustituido por una cubierta a cuatro aguas. La fuente central, que da nombre y sabor al patio, tuvo una fuentecilla sobre la taza, hoy en el jardín de los Adarves. Sin esta pieza que ahora se le ha quitado, la fuente presenta su aspecto primitivo, tal como lo vislumbraron, hace muchos años, el arqueólogo Valladar y el arabista Almagro Cárdenas; su disposición es parecida, tanto en taza como animales, a la del mar de bronce del templo de Salomón. Los leones de la fuente son de labra tan arcaica que se los ha creído del siglo X. Torres Balbás los cree contemporáneos del patio. La taza, dodecagonal, lleva en el borde una casita, tan aduladora, que se asusta de adónde llegaría la fiereza de estos leoncillos si no los contuviera el respeto al Califa.

Sala de los Reyes. La sala que hay al Este del patio, llamada de la Justicia o de los Reyes, sirvió de templo cristiano desde que se desplomó la mezquita real hasta que fue construida la iglesia de Santa María de la Alhambra. Marcan los tramos arcos y linternas de mocárabes, éstas con muchas ventanitas. Las alcobas de esta sala, que debieron de

< Patio de los Leones. Galería Oeste

ser dormitorios reales, llevan bóvedas esquifadas recubiertas de cuero con pinturas que han dado mucho que hablar a críticos y arqueólogos, que unas veces las han creído musulmanas, y otras, cristianas. En el estado actual de la cuestión cabe atribuirlas a un artista hispano influido por la pintura franco-italiana. En la alcoba del centro se representan, con marcado sabor occidental, diez reyes moros reunidos en asamblea. Se ha supuesto sean los monarcas nazaríes desde Alahmar el Magnífico hasta Mohamed VI. Las pinturas de las demás estancias representan escenas de cacerías, torneos, juegos y amoríos, como se veían en las miniaturas del tiempo, y también con técnica similar—dibujística—y casi sin claroscuro. No deben chocar estos préstamos de la pintura cristiana a la realeza islámica. Juan Van Eyck debió de visitar la corte granadina de Mohamed IX o de Yúsuf IV.

Sala de los Abencerrajes.   La Sala de los Abencerrajes interesa, sobre todo, por lo trágico de las leyendas que la ensombrecen. Cuando el pintor francés Henri Regnault colocó su «Ejecución sin proceso», del Museo del Louvre, en la Sala de las Dos Hermanas, confundió ésta con la de los Abencerrajes. La sangre salpicó con frecuencia los mármoles de este departamento. El vulgo, con certero instinto, señala una manchas de óxido de hierro en la fuente y las que cree huella imborrable de la sangre de los caballeros abencerrajes aquí asesinados. En efecto, el padre de Boabdil, Muley Abul Hasán, separado de su mujer para unirse a Zoraya, por asegurar el trono al hijo de ésta, hizo decapitar a todos los hijos que tuvo de su primera mujer; y es posible que la ejecución fuese en esta sala. Nos levanta de la consideración de tan lúgubres recuerdos la contemplación de la cúpula de esta estancia, aérea y sutil como cendal de odalisca. La sala está desprovista de sus antiguos alicatados y conserva unos capiteles de notable pureza y estilo.

< *Sala de los Abencerrajes*

Patio de la Reja

Baños Reales. Sala del reposo >

Baños Reales. Sala de exudación

Encima de este aposento hay una casita minúscula, pero completa, al parecer, vivienda de alguna favorita. Centra su sala un patio con los acostumbrados pórticos; el oriental tuvo unos raros capiteles de mármol negro, del tránsito de los siglos XI al XII, hoy en el museo; y al fondo, arrimadero, que, en lugar de ser de cerámica, es pintado, con labor de lazo, en colores ocre, azul y negro. Tiene algunos motivos del heráldica occidental y mocheta de óvalos enlazados. Esta casita estuvo mucho tiempo en completa ruina, y casi se rehizo hace apenas un cuarto de siglo.

Sala de los Mocárabes. La Sala de los Mocárabes, última pieza del Harem, ya no conserva la razón de su nombre, el cual se debía a una hermosa bóveda de mocárabes que, arruinada, se sustituyó por la barroca hoy existente.

Rauda. Dependencia de los alcázares nazaríes puede considerarse la próxima Rauda o cementerio real. Queda muy poco de este edificio, que era de forma rectangular, precedido de un vestíbulo, con cubierta que puede suponerse de linterna por las pilastras acodilladas que la apeaban y de las que no subsisten sino las bases, enchapadas de alicatado muy sencillo. De aquí sacó Boabdil los restos de sus antepasados para llevarlos a Mondújar. Curioso detalle de esta construcción es el haber quedado, prodigiosamente en el aire, el bastidor y fragmentos de la celosía de una ventana.

Jardín de Lindaraja. Camino de los baños, encontramos el misterioso y sombrío «patio de la Reja». Sus cuatro cipreses completan el encanto de una fuente saltarina. El vulgo, amigo de lo novelesco, ha dado destinos quiméricos al corredor enrejado de uno de los testeros del patio.

Sala de los Reyes >

Junto al anterior patio está el «Jardín de Lindaraja», uno de los lugares más poéticos de estos palacios. Aunque algún visitante crea ver en él un trasunto de los vergeles de Bagdad o de Damasco, no tiene nada de musulmán, pues no es sino un bellísimo jardín romántico europeo; eso sí, reproducido más veces que el resto de las estancias árabes de la Alhambra. En este sitio no había nada antes de la Reconquista. Fue en el siglo XVI cuando, edificadas las llamadas Habitaciones del Emperador, se pensó en embellecer el patio resultante. La disposición actual del jardín es del siglo XIX. Los jardines moros eran otra cosa. Conocida es la definición que da Marçais del jardín árabe: «Una cuadrícula geométrica trazada en un pedazo de selva virgen.» Un escritor del siglo XIV, Ben Luyún, nos ha dado también la descripción de un jardín granadino de aquellos tiempos. Y según él, constaba de una acequia, pabellón, umbría, flores y árboles. El «Quijote» nos habla del jardín de Agi Morato, un ejemplar de los del Mogreb oriental, copiado de modelos más occidentales. En él había hierbas para ensalada y fruta como para tentar la gula de los turcos. Aun en el Africa boreal, los jardines tienen mucho de huerta. El granadino había de ser algo como el «jardín-potager» francés o el «kitchen-garden» inglés. En el centro del Jardín de Lindaraja hay una fuente de hechura cristiana y taza árabe; esta última, con unos versos hiperbólicos tallados en su borde.

Torre de Abul Hachach. El tipo de construcción central, con linterna, que hemos visto en la primera Sala del Mexuar, volvemos a encontrarlo en la torre de Abul Hachach. También lo veremos en la Sala del Reposo de los Baños; y sabemos que así era en monumentos desaparecidos, como la Rauda o cementerio áulico, los baños de la Calle Real y el palacio de Dar al-Arusa. Se entra a la torre que nos ocupa, por una portadilla, con dintel de madera que lleva inscripciones

Mirador de Lindaraja >

y friso de dovelas. Lo más notable del interior de este pequeño monumento es, por su rareza, un zócalo pintado con labor de lazo rojo y verde, y además, vestigios del pavimento primitivo de la sala, con sus azulejos esmaltados en azul, morado, oro y blanco.

Baños Reales. Los baños de estos alcázares pertenecen al Harem, pero tienen su entrada junto al jardín de Lindaraja. Sus departamentos son de suma importancia para el conocimiento de la vida doméstica musulmana en la Edad Media. Apenas entramos en su recinto, nos produce asombro el encontrar una habitación policromada como lo estarían todas las de estos palacios en sus buenos tiempos. Los colores oro, azul, verde frío y rojo, son la base de esta policromía que, aunque falsa (como inventada y ejecutada en el siglo XIX), dio la pauta para todas las imitaciones modernas de la Alhambra. Este colorido aumenta la voluptuosidad del baño musulmán, ya de suyo mayor que la del baño clásico. La fisonomía, alegremente deportiva, que tenían las termas romanas, así como su utilización para la vida social, parecían quitarle el carácter carnal que tuvieron los baños musulmanes; carnalidad, tanto más desagradable, cuanto que entre los árabes adquirió un cierto sentido religioso. En el contrato en aljamiado que se hizo para construir un baño gratuito y lujoso en Córdoba, nos ha quedado una descripción de lo que era un baño de aquellos tiempos. Había de tener cuatro departamentos, con conducciones subterráneas de cobre y plomo para aguas frías y calientes; figuras de animales en latón con ojos de vidrio, y en las paredes, clavos de plata. Las tinas eran de oro y plata —doradas y plateadas—, con hermosa labor epigráfica. El estanque, para agua fría o caliente, estaba alimentado por animales metálicos. Los lugares de ablución—«alguadu»—eran riquísimos. Las bóvedas, pintadas de azul, habían de llevar estrellas de plata. El presupuesto era de

< Torre de la Cautiva. Interior

Torre de las Damas

Estanque del Partal >

Noche Flamenca en el Sacromonte

Los Tarantos

Zambra Gitana

Telfs.: (958) 22 45 25 - 22 24 92 • Fax: 22 82 28
Sacromonte, 9 • GRANADA • ESPAÑA

20.000 doblas de oro. Duraron las obras dos años. El edificio lo limpiaron «con cal viva y serraduras y ramas de 'gavardi-ra'»; lo alumbraron con blandones de cera, y se le proyectó de esteras—«alhaceras»—. En el establecimiento servían «moços que no tenían barbas», y daban a los asistentes, gleba, haleña, corteza de nogal para los dientes, y agua de rosas: todo, de balde.

Si los baños públicos y gratuitos eran así de suntuosos, de ello puede colegirse lo espléndidos que serían los reales como éstos. Por su aspecto presente no podemos hacernos idea de su grandeza pasada. Por el contrario, se presentan con auste-ridad y sencillez sorprendentes; excepto esta sala que, al ser restaurada, recuperó oro y colores como de antiguo. La traza de ella es de patio; como hemos dicho, muy repetida en lo granadino, en imitación de lo cristiano antiguo. En la cocina del castillo francés de Montreuil-Bellay, hay, como aquí, cuatro pilares que sostienen otras tantas arcadas sobre las que des-cansa una linterna; pero, nada más distante de la pesada solu-ción cristiana, que la islámica, grácil y aérea.

En el centro de la estancia hay una fuentecita sobre el pavi-mento, de notable alicatado del siglo XVI que ya casi ha perdido el esmalte. El vulgo suele llamar a esta estancia Sala del Re-poso; y en verdad que el nombre le cuadra a maravilla. Fresca, silenciosa, con luz alta y no excesiva; todo invita al descanso.

El resto de los baños está dividido en tres departamentos, inundados por la luz que penetra por las luceras en forma de estrellas que hay en las bóvedas. No tiene más adornos que los arrimaderos de alicatado (sustitutos de los antiguos). Estos departamentos están enlosados con mármol blanco, en le que vemos un canal en el centro, por el que discurrían las aguas. Además del baño frío o tibio, se provocaba la exudación por medio del vapor, para lo cual tenían la disposición de las termas romanas, con su «frigidarium», su «tepidarium» y su «caldarium».

< *Jardines del Partal y torre de las Damas*

El aspecto de estas piezas de los baños es de una alegría sencilla y de una claridad sin complicaciones, que choca con las otras estancias de la Alhambra, recargadas y misteriosas. A pesar de las intensas restauraciones que sufrieron estas dependencias en los siglos XVI y XIX, constituyen el ejemplar de baños más completo que se conserva en España. Hasta el siglo XVIII permaneció en su sitio la enorme caldera de cobre en la que se calentaba el agua que después corría por tuberías embutidas en suelos y muros. Yusuf I fue el que mandó construir estos baños en la primera mitad del siglo XIV. Su antigüedad y el carácter tradicional—casi litúrgico—que el baño tuvo para los árabes, hacen que los arcos sean de herradura, apenas apuntados.

Construcciones desaparecidas de la Alhambra. Además de los palacios reales había en la ciudad o Medina que era la Alhambra, multitud de viviendas y dependencias, desaparecidas hace siglos. De este número serían la Madraza de la Alhambra (que luego fue Seminario eclesiástico), la que el P. Echevarría llama Casa del Cadí, el palacio de los Abencerrajes (donado por los Reyes Católicos a don Juan Chacón), la casa de la Moneda, el palacio árabe que después fue residencia de los marqueses de Mondéjar (demolido a principios del siglo XVIII) y la gran mezquita de la Medina, emplazada donde hoy está la iglesia de Santa María. Esta mezquita la mandó construir, a principios del siglo XIV, Mohamed III, para cuya edificación destinó los impuestos cobrados a sus vasallos infieles. Tenía tres naves; más elevada, la central; y los cristianos la conservaron cuanto pudieron, convirtiéndola en iglesia. Pero, víctima de su mala construcción, se hundió, como todas las de su tiempo, de las que sólo quedan leves restos en el Albaicín de Granada, en Ronda y en Fiñana. De la misma época eran los baños, de los que se hallaron escasos elementos en la famosa taberna del Polinario, y con los que, hace poco tiempo,

< *Torre de los Picos*

Torres Balbás rehizo los baños que hay en la Calle Real. Dichos baños tuvieron linterna parecida a las de la torre de Abul Hachach y de la Sala del Reposo del baño real, y su disposición era la corriente en este género de edificios, las acostumbradas luceras en las bóvedas y los rituales arcos de herradura en los intercolumnios que dividían los tramos. Mejor conservadas están las viviendas mantenidas en el cobijo de una torre, como la del Partal, la de las Infantas y la de la Cautiva; todas ellas, aunque no muy amplias, completas.

Partal. Torre de las Damas.   El Partal, conocido por torre de las Damas, es un pórtico que tal significa su nombre en árabe. Cinco arcos, sólo el central con sus albanegas, sostenidos por columnas labradas modernamente, se reflejan en un enorme estanque. Cubre las galerías precioso techo de lazo con cupulitas en el centro; todo de madera. La galería precede a una sala que avanza sobre el barranco y que tiene hermosa techumbre con arrocabe y racimos de mocárabes en el almizate. También es muy interesante la incompleta decoración cerámica de esta sala, de extremada finura en traza y colores. La parte alta de la torre la forma un mirador muy maltratado, que, no obstante, conserva gran parte de sus delicadas yeserías. Se cree que este edificio es del primer tercio del siglo XIV. En una casita medianera y, al parecer, coetánea de la torre de las Damas, se descubrieron en 1907 unas pinturas al temple sobre preparación blanca, mal conservadas, que representan cacerías, desfiles guerreros y regreso de una expedición militar, con botín y cautivos, al campamento. Esta importante y rarísima obra oriental está dividida en zonas superpuestas.

Al lado opuesto, sobre la muralla, hay un pequeño oratorio, con una casita adosada que ha sufrido muchas y caprichosas restauraciones cuando era propiedad particular. Este oratorio es de lo poquito que nos queda de construcciones religiosas de la

Palacio de Carlos V >

época, nunca abundantes, puesto que los nazaríes no fueron muy piadosos. El interior, rectangular, tiene «mihrab» con decoración y disposición parecida a la del oratorio del Mexuar, ya visto.

Los jardines que se extienden frente a estos edificios, aunque muy modernos y apenas sin enlace con lo granadino, forman un conjunto agradable. A los pies del estanque de la torre de las Damas vemos dos grandes leones de piedra que proceden del Maristán u hospital de locos que Mohamed V levantó cerca de la puerta de Guadix baja o de los Panderos.

Las Torres. Las torres de la cerca de Medina Alhambra, pasada la de las Damas, comienzan por la extraña «torre de los Picos, que, interior y exteriormente, parece obra de un artista cristiano del siglo XIV. En sus esquinas tiene modillones, como para sostener unas garitas ya desaparecidas. El remate de las almenas (en forma de pico) dieron nombre a esta torre. Bajo ella hay una salida al barranco, que en otro tiempo fue de lo más evocador y poético que puede imaginarse, pero hoy ha desaparecido su belleza con la reforma de la torre del Cadí y de las murallas, rehechas por completo y privadas de las hiedras que pendían de sus alturas como cabelleras desmelenadas.

A la torre del Cadí sigue la «de la Cautiva», obra de Yúsuf I. Por un pasadizo acodado se llega a un patio pequeñito que tiene tres de sus frentes con arcos muy peraltados, y, detrás, una salita en la que, balcones geminados en tres de sus muros, forman preciosas camaritas. Las yeserías de esta torre son muy refinadas, y los arrimaderos de alicatado, de lo más perfecto en su género y con un tono rosa púrpura que sólo aquí se encuentra. Debió de tener rica techumbre y pavimento de magníficos azulejos; todo, renovado en el siglo XIX. El nombre de esta torre viene del período romántico y hace referencia a doña Isabel de Solís, que luego fue la Zoraya musulmana.

< *Palacio de Carlos V. Patio*

Jardines del Partal

Fuente de los jardines del Generalife >

La «torre de las Infantas» tiene mucho menos interés que la precedente, puesto que se decoró a mediados del siglo XV, cuando el arte islámico granadino se hallaba en la más profunda decadencia. Y, además, porque sirvió largo tiempo de vivienda particular y fue restaurada a fondo. Así, su techumbre y su linterna, sostenida por mocárabes, son de época reciente.

El resto de torres y murallas han sido esquemática y muy recientemente rehechas, pues fueron bárbaramente voladas por las tropas napoleónicas al salir de la ciudad. Lo que vemos de la Alhambra se conservó porque un inválido, apellidado García, cortó la mecha de la mina.

La «puerta de los Siete Suelos», restaurada en su mayor parte hace muy poco tiempo, es la más importante del recinto después de la de la Justicia e impone por su grandeza. El nombre de la puerta se debe a que, ante ella, se edificó un baluarte con varios reductos o pisos para alojar artillería. Dicho baluarte era similar al que precede a la puerta de la Justicia, y ambos se edificaron en los últimos años de la dominación musulmana.

Convento de San Francisco. Lo que fue convento de San Francisco—el primero que se levantó en Granada—había sido antes palacio moro de finales del siglo XIV. Lo poco que queda de este último está entre los restos de la capilla mayor de la iglesia. Tras un arco morisco, hay otros con buenas enjutas nazaríes, y unas bóvedas de mozárabes, un mirador (con tres arcos y ventanitas sobre ellos) y menguados restos de una almatraya de azulejos. Lo más sensacional y conmovedor de este monumento es que su capilla mayor fue la primera sepultura de los Reyes Católicos, humilde huesa en la que se descompuso la materia de aquella reina a la que, ni aun llamándola madre de América y hacedora del final de la Reconquista, se le agotan los elogios. Y no fue tumba adventicia,

< Generalife. Patio de la Acequia

pues Isabel mostró en su testamento tal ansia por esperar en ella la resurrección de la carne, que, su empeño, pudo poner escrúpulos en el ánimo de los que la sacaron de aquí por parecerles pobre lugar para tamaña gloria. Tales consideraciones no bastaron para que este rincón, digno de atraer peregrinos de dos hemisferios, haya sido mucho tiempo cobijo de alimañas. Rehecho, fue residencia oficial de pintores. Hoy es parador de turismo.

Generalife. Patio de la Acequia >

MONUMENTOS CRISTIANOS DE LA ALHAMBRA

Palacio de Carlos V. Pudiera parecer agotado nuestro estupor ante los monumentos árabes de la Alhambra, y aún nos quedan ocasiones de admirarnos y de gozar un puro deleite ante el más bello de los palacios renacentistas que hay fuera de Italia: el de Carlos V. En relación con lo moro, en él hallamos el capricho cambiado por el sentimiento; lo pintoresco, por lo racional; el yeso, por el mármol; el tapial, por el sillar de perfecta escuadría. Sin estanques ni fuentes, encontramos en él la inmensa y circular turquesa del cielo, engastada en el oro de piedras antiguas. Los que, engañados por torpes especulaciones, desprecian este palacio, para cuya edificación creen que se derribaron mansiones de ensueño (que jamás existieron, sino en la imaginación de unos literatos), y los que creen fuera de lugar este edificio, por estar entre las construcciones moras, deben considerar que las bellezas de una y otra arquitectura, aquí, se pulen y complementan con el contraste entre lo musulmán—frágil, bonito y femenino—y lo cristiano —recio, hermoso y noble.

La cesárea majestad de Carlos V necesitaba albergue inmensamente mayor que los palacios moros de Granada. Esta ciudad lo había prendido en sus hechizos cuando, en viaje de bodas, el Emperador hubo de aposentarse en el palacio árabe, estrecho para su grandeza; en tanto que la reciente Emperatriz, Doña Isabel de Portugal, lo hacía en el monasterio de San Jerónimo.

Apenas habían transcurrido dos años de la batalla de Pavía. El avanzado Renacimiento de este palacio granadino ahoga el de los castillos de Francisco I, Blois y Chambord; muy bonitos, pero mucho menos clásicos, por estar inficionados de goticismo.

La casa real nueva sería un cuadrado perfecto si el ángulo Nordeste no hubiese sido achaflanado para instaurar en él una capilla en ochavo, la que en los días en que esto se escribe se la está dotando de cubierta, que no llegó a tener nunca. En el centro de este cuadrado se inscribió un patio circular, que, con argumentos no convincentes, se ha supuesto inspirado en varios ejemplos clásicos y renacentistas. El edificio presenta dos fachadas, cada una de ellas con puerta monumental a modo de arco de triunfo romano. La portada Sur, de mármol de Sierra Elvira, tiene relieves heroicos en el basamento; columnas jónicas sostienen el entablamento, del mismo orden, bajo el que se cobija la puerta, con pilastras y frontón sobre el que se recuestan dos victorias. Sobre los basamentos, con motivos de la fábula de Neptuno y Anfítrite, el cuerpo alto ofrece columnas y entablamento corintios y, en el intercolumnio (como un gran ventanal triple), el motivo paladiano, en cuyas enjutas se ha representado la Historia en actitud de escribir las hazañas del Emperador. La parte baja de la fachada occidental, que es lo único primitivo de ella, es mucho más austera y simple, como de orden dórico. Sobre los basamentos, que tienen finísimos relieves históricos y simbólicos, cuatro pares de columnas sostienen el entablamento, con friso de tríglifos y métopas; éstas, con bucráneos. Entre los intercolumnios se alojan tres puertas: la central, mayor y con victorias sobre las vertientes del frontón; las laterales, pequeñas, para dejar espacio a unos relieves circulares que representan batallas. La parte alta es posterior a lo demás, y como hechura de otro arquitecto y producto de otra época, de clasicismo más rebuscado y menos espontáneo. Esta parte es jónica, con tres huecos y medallones en relieve de mármol enmarcados

Generalife. Patio de la Sultana >

en serpentina; el del centro lleva el escudo de España, y los laterales, hazañas de Hércules.

Todo el edificio se levantó sobre un basamento a modo de podio clásico. El aparejo del muro del primer piso es almohadillado a lo rústico, como el de los primeros palacios florentinos. Separa las dos plantas una cornisa muy saliente, y el cuerpo superior se ilumina, alternativamente, por balcones coronados por frontón o por guardapolvo, que llevan encima angelitos, granadas, vasos y guirnaldas; todo, de dibujo muy correcto y elegante.

A las dependencias del palacio dan entrada tres zaguanes que desembocan en el muy notable patio circular. Tiene éste dos galerías de órdenes superpuestos. La galería baja está cubierta con bóveda anular; la alta, por techo de madera. Todo ello no tiene más adornos que pilastras, hornacinas, tríglifos y bucráneos. Incluso el antepecho del piso alto, que se pensó hacer con baluastres, se resolvió, al fin, con pretil plano.

Hemos descrito, primero, el palacio, sin hablar de su artífice. Pudo el Emperador haberlo elegido en la anchura inmensa de sus estados, y, sin embargo, lo hizo, como quien dice, a pie de obra. Fue el designado un escudero de la capitanía del conde de Tendilla, retablista y pintor en los largos ocios de una guarnición. Se llamaba Pedro Machuca; era toledano y había vivido en Italia bajo las enseñanzas, nada menos, que de Miguel Angel. Francisco de Holanda le colocó entre las «águilas» españolas; y, sin embargo, su nombre, a pesar de su gran valía, es casi desconocido. Hemos hablado de la ingratitud de Granada con Alahmar el Magnífico. Machuca no tiene un monumento, ni una lápida, ni tan siquiera el nombre de una calle de la ciudad que tanto le debe. Muerto Machuca, siguió las obras su hijo Luis de Horozco, con los planos del padre. Y fallecido también éste, continuaron la construcción varios maestros, en dos de los cuales influyó directamente Juan de Herrera, La obra se comenzó con los 80.000 ducados anuales que daban los moriscos por conservar determinadas libertades; tributación que terminó cuando el levantamiento de éstos. En nuestros días se ha cubierto el palacio, y en él se albergan un Museo Arqueológico y otro de Bellas Artes.

Museos. Ocupa toda la planta noble del palacio el Museo Provincial de Bellas Artes, que cuenta entre sus fondos con un muy notable políptico en esmalte limosín, del tránsito de los siglos XV al XVI, un grupo escultórico representativo del «Entierro de Cristo», por Jacobo Florentino; una colección muy completa de cuadros del devotísimo pintor cartujo fray Juan Sánchez Cotán y abundantes obras de arte granadino del siglo XVII, debidas a Bocanegra, Juan de Sevilla, una del enigmático Pedro de Moya y pocas del máximo valor de la escuela, Alonso Cano. Del siglo XVIII, producciones de Risueño y Ruiz del Peral, y del siglo XIX, el «San Juan de Dios», de Gómez Moreno, entre cuadros de segundo orden, cedidos por Museos madrileños, y de arte moderno, una excelente colección de lienzos de López Mezquita, algún Morcillo, un buen paisaje de Gómez Mir y aportaciones mediocres y poco originales de artistas jóvenes.

El llamado Museo Arqueológico cuenta con piezas excepcionales. La principal es el célebre jarrón, que durante mucho tiempo estuvo expuesto en la Sala de las Dos Hermanas y que es arquetipo de una serie que cuenta con ejemplares tan notables como los de Washington y Kunstgerwerge de Berlín. Su manufactura es palaciega, paralela a otra malagueña, con decoración en oro y marca «Maliga», cuyo ejemplar más importante es un jarrón hallado hace un cuarto de siglo en una bóveda de la cartuja de Jerez, expuesto hoy en el Museo Arqueológico Nacional.

Le sigue en valor una pila de piedra, cerca de cuatro siglos más antigua que la pieza anterior. Estuvo junto a la torre de la Vela, y después, durante unos años, en la Sala de la Justicia. Debió de centrar un patio no muy grande, y sus relieves representan luchas de leones y antílopes en torno a un árbol de vida.

Su dedicación y fecha son posteriores a la obra primitiva. Abundan preciosas muestras de artesanía granadina en piedra (braseros, tapas de fuente—una en mármol negro—, capiteles de los siglos IX al XV y lápidas sepulcrales como la notable llamada «de Betanzos»), así como cerámica y carpintería. Entre las muestras de esta última se conservan numerosísimos y lindos canes, restos de techumbres y celosías, y una primorosa puerta de alacena, delicada obra de taracea en plata, hueso y maderas finas. Esta puerta procede de la Casa de los Infantes, mansión demolida por el Ayuntamiento para edificar la Gran Vía.

Iglesia de Santa María. La Iglesia de Santa María se alza en el lugar en que estuvo la mezquita real. El primitivo proyecto para su construcción fue hecho por Juan de Herrera, pero después se sustituyó por otro más económico de Juan de Orea. La obra de arte más importante de esta iglesia es una imagen de la Virgen de las Angustias, valentísima talla del escultor del siglo XVIII Torcuato Ruiz del Peral. En el altar mayor hay un buen Crucificado de Alonso de Mena, y en el presbiterio, una Inmaculada del pintor castellano José Antolínez. Ante la puerta de este templo una cruz conmemora el martirio de fray Pedro de Dueñas y fray Juan de Cetina, muertos por el mismo rey, a la entrada de la mezquita, por haber venido a predicar a Jesucristo entre los moros.

EL GENERALIFE

Fuera de lo que es propiamente la Alhambra, pero íntima y oficialmente unido a ella, está el Generalife, villa de placer de los reyes moros de Granada, que tuvieron otras esparcidas por las colinas que se elevan al Este del cerro de la Asabica, donde está emplazada la Alhambra. La más alta de estas colinas, en tiempos árabes estaba cubierta de vegetación, jardines, avenidas, glorietas y palacetes; pero una vez destruidas las obras hidráulicas que irrigaban estas cimas, quedó como está hoy: árida y seca. En él se conservan los restos, ya insignificantes, del palacio de Dar-al-Arusa, o Casa de la Novia, destruido en el siglo XVI. Más al Sur, estaba el importante palacio de los Alijares, en el lugar que hoy ocupa el cementerio municipal. De todos estos monumentos sólo queda en pie—y bastante bien conservado—el Generalife, quizá más famoso que por sus restos árabes por sus maravillosos jardines, creados por manos de varias generaciones y pulidos y poetizados por ese artífice inimitable que es el tiempo.

Al nombre del Generalife se le han dado diversos orígenes. El más cierto parece ser el que le da el morisco Alonso del Castillo, y que luego confirmó el eruditísimo arabista Simonet: «Gennat-Alarif», Genaralife; después, Generalife; esto es, jardín del alarife o arquitecto. Hoy está abierto por muchos lados; pero, antes, su cerca era perfecta y le precedía un cuerpo de guardia (cuidadosamente organizado y conservado en lo esencial), por el que podemos colegir el que habría ante el Mexuar de la Casa Real vieja.

Torres de la Alhambra y Albaicín, desde el Generalife

Paseos de entrada. Ya no se entra al Generalife por la entrada antigua, que era a través del barranco que pasa al Este de la torre de los Picos. Ahora es preciso recorrer gran parte de los jardines para llegar al acceso árabe. Lo primero que vemos al entrar es el «Paseo de los Cipreses», con su sombrío encanto. No ha pasado por Granada ningún paisajista sin sentirse atraído por el embrujo de paseo tan bello, con sus lirios y rosales al pie de estos cipreses que dejan ver, entre la masa oscura de sus verdes aterciopelados, los matices rientes de los jardines bajos, la Alhambra y la vega. Terminado este paseo, está el «de las Adelfas», con sus cipreses seculares, sus tilos dorados y sus plantas de viejas adelfas, que en el estío lo cubren de flores rojas y blancas.

Cuando el Generalife era propiedad particular de los marquese de Campotéjar (que sostuvieron un largo pleito con el Estado por el dominio de este monumento), al final del paseo de las Adelfas había una puerta, a la que se llamaba como a cualquier otra vivienda. Eran tiempos encantadores, y los marqueses practicaban ampliamente la hospitalidad. Pasear por los jardines a la luz de la luna, o entre las difusas claridades del amanecer, cuando la sierra y los montes lejanos surgen con lentitud de la bruma de la vega, era un espectáculo inigualable. Al presente, las necesidades de los tiempos hacen que las visitas estén regladas por un horario adecuado y por cartelitos, vigilantes y guardas.

Patio de la Acequia. A la pobreza acostumbrada en el aspecto exterior de los monumentos árabes, en este del Generalife se añade un carácter de cosa provisional y como a medio hacer, por lo que los muros están desprovistos de su enlucido. Pero esta impresión de desaliño desaparece en cuanto traspasamos los umbrales del palacete. Lo primero que encontramos es el consabido patio, el de aquí, mucho más largo que de costumbre, cubierto de vegetación florida y con una acequia en el centro, de pórtico a pórtico, sobre la que caen las

La Alhambra, desde el Generalife

aguas de muchos surtidores ocultos entre el follaje. Sin embargo, cuando cesan de correr estos surtidores y la acequia se convierte en un alargado espejo, el patio recobra un sello de melancólico sosiego, que es como un perfume más entre los muchos que embalsaman el Generalife.

La parte arquitectónica de esta villa es reducida. En rigor, se limita a dos pórticos, un mirador y un cuerpo de guardia; todo lo demás es de tiempos cristianos. Con poco tenían bastante los musulmanes para habitar, y menos aquí, pues el Generalife era sólo para pasar las horas de más calor del día o para un breve alzar la mano de las arduas tareas del mando. El «pabellón Sur» del patio de la Acequia conserva, para apear sus tres arcos centrales, dos columnas con capitel de talla basta de ataurique y cimacio muy grande, lo que habla de su antigüedad. En el lugar de la galería de la derecha del patio, que tiene, a un lado, dieciocho arcos, y, a otro, ventanas abiertas a los jardines bajos y a la Alhambra, hubo, en tiempos musulmanes, un muro más alto que la galería actual, decorado con friso de madera con inscripción, y, el resto, con paños de fino ataurique. La galería se interrumpe en su promedio por un mirador, que hasta hace poco fue capilla, y que es un curioso ejemplo para el estudio del ornato granadino. Su decoración consiste en dos capas superpuestas de labor fina con abundantes restos de policromía; ambas parecen del siglo XIV.

El «pórtico Norte» es lo más importante, completo y mejor conservado del Generalife. Todo lo que sobre él pisa es de tiempos cristianos; pero la planta baja constituye un palacio en miniatura, con galería, sala y mirador. Se abre con cinco arcos, de los que el central es más ancho y alto, con las acostumbradas enjutas de rombos, que son una última consecuencia de los arcos polilobulados y entrecruzados almohades. Se cubre con techo plano, con labor de lazo en taracea y cupulitas de mocárabes. En los extremos se ven las acoctumbradas alhanías; la de la derecha, cegada por la obra cristiana. Al fondo del pórtico hay tres arcos; el central, muy peraltado, se sostiene con raros

Generalife. Patio de la Sultana

capiteles de yeso cubiertos de mocárabes. Arriba se observan las habituales celosías de yeso. El encuadramiento de esta portadita y el de sus tacas, se cubre de inscripción cursiva, en la que se atribuye esta obra a Ismail I y se declara efectuada en el año de la victoria, que se cree es la obtenida por los moros en la vega de Granada, en 1319, y en la que murieron los infantes Don Juan y Don Pedro.

La sala contigua al pórtico tiene primoroso techo con friso volado de mocárabes; alhanías, en los extremos; en el muro Sur, alacenas cuadradas, con la misma disposición de las de la Sala de la Barca, y friso alto de ventanitas ciegas.

La puerta del «mirador» es de fina decoración, y desde ella se disfruta de una encantadora vista del patio entre el encaje que forman arcos y columnas. Al lado opuesto se abre un balcón al pintoresco valle del Darro y a los cerros que caen a él, cubiertos de murallas, chumberas y cuevas. En los restantes muros, otros dos balcones justifican las funciones del mirador, que se cubre con techo de madera en forma de artesa. A los lados hubo dos salas de obra cristiana en las que se conservaron retratos de reyes de España y de antepasados de los marqueses de Campotéjar; cuadros de poco mérito.

Patio de la Sultana.   El patio de la Sultana sólo guarda, de tiempos remotos, el secular ciprés que la tradición supone escondrijo de reyes celosos. El resto es del siglo pasado. A principios del presente ofrecía hermosísimo aspecto, pues su fuente estaba cubierta de adelfas y tapizada de musgo, y en el centro de un gran estanque bordeado de mirtos. La obra despiadada del tiempo ha hecho que este patio pierda mucha de su peculiar belleza.

Jardines y Mirador.   Los «jardines altos» ofrecen una sucesión ininterrumpida de bellos panoramas con encantadores primeros términos que, vistos una vez, nunca se olvidan. Todos estos jardines son modernos, y aparecen distribuidos en paratas, con glorietas, fuentes, paredes de ciprés recortado, cuadros de boj, macizos de flores e hileras de tiestos de claveles y geranios que tanto abundan en Andalucía.

Desde un «mirador» moderno y de estilo no muy afortunado, baja una curiosa escalera que se conserva tal como el embajador Navariego la describió en el siglo XVI. La forman tramos cortos que dejan entre ellos rellanos en los que una fuentecita suelta su diminuto surtidor. Los pretiles de los lados tienen canales en la parte superior, formados por medios atanores de barro (árabes), por los que baja despeñada el agua, que, al caer de golpe, deja la escalera convertida en vistosa cascada. Una galería moderna, precedida de una fuente, ofrece vistas hacia el Albaicín y la vega y sobre el nostálgico patio de la Sultana.

Al Sur de los edificios del Generalife se extienden amplios jardines, que terminan en un teatro al aire libre para los festivales de música y danza que aquí se celebran. Se baja a aquéllos por entre áridas ruinas arqueológicas a las que alegran unas flores. Estos jardines están provistos de pérgolas, rosaledas y otros elementos ajenos al jardín granadino. Con todo, son bonitos y su situación es muy agradable. Desde ellos podemos lanzar una mirada de adiós a esta Medina Alhambra que un día fue reducida corte de un reino no muy extenso. Agrandada desde entonces por la fama, el paso de los siglos la convirtió en síntesis de dos mundos opuestos. Así, la vemos sonreír con gracias orientales y pulirse por la sabiduría de Occidente.

PLANO GENERAL DE LA ALHAMBRA Y EL GENERALIFE

Interpretación de los números

1. Puerta de las Granadas.
2. Fuente del Tomate.
3. Monumento a Ganivet.
4. Fuente del Pimiento.
5. Pilar de Carlos V.
6. Puerta de la Justicia.
7. Puerta del Vino.
8. Patio de Machuca.
9. Torre de las Gallinas.
10. Torre de los Puñales.

Palacios árabes.

11. Mexuar.
12. Patio de los Arrayanes.
13. Sala de la Barca.
14. Salón de Embajadores.
15. Habitaciones de Carlos V.
16. Sala de las Dos Hermanas.
17. Patio de los Leones.
18. Sala de los Abencerrajes.
19. Sala de los Reyes.
20. Cripta del Palacio de Carlos V.

Torres.

21. Torre del Cadí.
22. Torre del Cabo de la Carrera.
23. Torre de Juan de Arce.
24. Torre de Baltasar de la Cruz.
25. Torre del Capitán.
26. Torre de las Brujas.
27. Torre de Abencerrajes.

Alcazaba

28. Jardines de los Adarves.
29. Torre de la Sultana.
30. Torre de la Pólvora.
31. Torre de los Hidalgos.
32. Torre del Homenaje.
33. Torre Quebrada.

Generalife.

34. Aparcamiento de coches.
35. Jardines nuevos.
36. Pabellón Sur.
37. Patio de la Acequia.
38. Pabellón Norte.
39. Patio de la Sultana.
40. Jardines altos.